D0130508

I
Llanllon-ger-y-lli

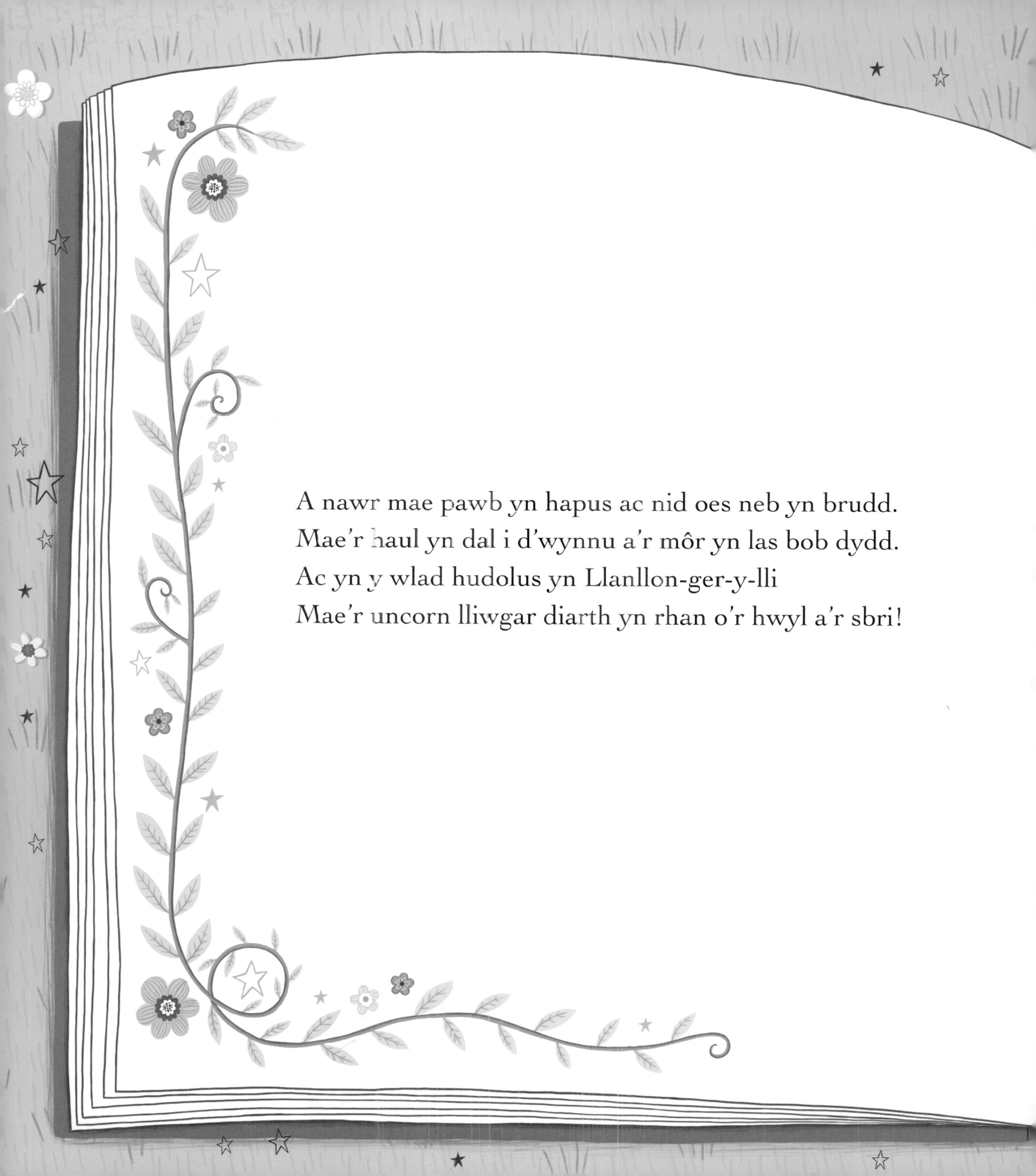

A nawr mae pawb yn hapus ac nid oes neb yn brudd.
Mae'r haul yn dal i d'wynnu a'r môr yn las bob dydd.
Ac yn y wlad hudolus yn Llanllon-ger-y-lli
Mae'r uncorn lliwgar diarth yn rhan o'r hwyl a'r sbri!

HWRÊ!

I Taylor, Lewis, Tegan a Brody,
Ellesse ac Ebi-Rose, Ethan ac Eryn.
gyda fy holl gariad, Nanny McFiz – EA

I Theia-Louise, boed i dy freuddwydion ddisgleirio – KH

Cyhoeddwyd gyntaf yn Saesneg yn 2018
gan Scholastic Children's Books
Euston House, 24 Eversholt Street, Llundain NW1 1DB
dan y teitl *Unicorn and the Rainbow Poo*
Cyhoeddwyd yn Gymraeg 2019 gan Wasg y Dref Wen Cyf.
28 Ffordd yr Eglwys, Yr Eglwys Newydd,
Caerdydd CF14 2EA
Ffôn 029 20617860.
Cyhoeddwyd gyda chymorth ariannol
Cyngor Llyfrau Cymru.

Argraffwyd yn China.

HIP HIP

Fe drefnwyd parti iddo.
O'r annwyl, dyna de!

A theisen braf a baner yn dweud

Fe beidiodd pawb â chloncio ac edrych arno'n syn
Cyn sibrwd efo'i gilydd. "Peth gwarthus ydy hyn!"

Cael neidio a chyd-chwarae
a dawnsio hyd yn oed!
Heb sôn am fynd am bicnic
neu dro bach yn y coed.

Dwi wedi blwmin blino
ar glywed sôn am bw!

O! dwi yn unig, unig –
waeth imi fod mewn sw!"

Roedd pawb yn troi'n benysgafn wrth neidio hyd y lle
A'r lliwiau a'r aroglau fel enfys uwch y dre.

Ond …

… roedd yr uncorn diarth yn teimlo'n drist a phrudd
A dagrau mawr amryliw yn rholio i lawr ei rudd.
"'Dych chi yn hapus", meddai, "ond beth amdana i?
Fe hoffwn fod fel chithau'n rhan o'r hwyl a'r sbri.

Disgleiriai ar eu hadain a gloywi blaen eu plu.
"Tra-la! Dwi'n hoffi'r pw ma!"
oedd cân y marchog cry.

Gwreichionai yn yr awyr
fel sêr ar noson braf.

Fe fflachiai yn y gwrychoedd fel haul ar ddydd o haf.

O! roedd y pw hudolus yn troi y byd yn gân
Gan lonni'r holl goblynnod a drysu'r adar mân.

Roedd pawb yn dweud yr hoffen
gael darn o'r pw bob lliw,

Tra gwaeddai
y coblynnod, "Rhaid
inni ffurfio ciw!"

Ar unwaith fe ddaeth popeth
yn amlwg iddyn nhw –
Fe godai yr aroglau
fel cwmwl hud o'r pw!

Ble bynnag roedd yn glanio
neu'n disgyn ar y tir
Yr oedd yn troi yn enfys
o liwiau disglair, clir.

Yn wir, roedd persawr hyfryd yn llifo yn ddi-stop
Fel mefus neu fel hufen iâ â siocled ar ei dop.

"HEI!"
meddai'r dywysoges gan weiddi'n llon fel cynt.
"Beth ydy'r oglau hudol
dwi'n ffroeni ar y gwynt?"

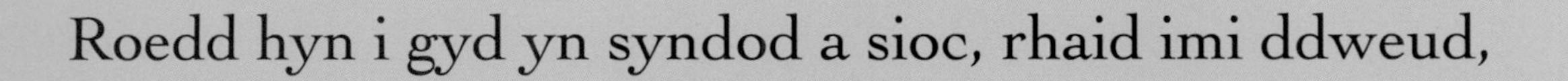

Roedd hyn i gyd yn syndod a sioc, rhaid imi ddweud,

A'r tylwyth teg yn cochi heb
wybod beth i'w wneud!

Diflannodd yr holl adar a'r
dreigiau hurt mewn braw

Tra roedd pob coblyn haerllug
yn cuddio'i geg â'i law.

Fe wnaeth yr uncorn diarth bw rhyfedd o bob lliw!

"Wel, helô!" meddai'r gwrachod, "a chroeso i ti, pwt!

Dy'n ni yn hoffi'r lliwiau sydd yn dy fwng a'th gwt."

Ond cyn i'r criw coblynnod gael siawns i ddweud, "Waw! Ffiw!!"

Yr Uncorn
mwyaf rhyfedd
a welson nhw erioed.

Roedd tylwyth teg a dreigiau yn hedfan fel ar ras,
A gwrachod a marchogion yn mynd eu gorau glas.

Roedd rhywbeth yn gweryru yn isel
yn y coed –

"Hei!" meddai'r dywysoges un bore draw o'r tŵr.

"Beth gyndiar sydd yn digwydd?
Beth ydy'r sbri a'r stŵr?"

Roedd tylwyth teg ac adar yn
hedfan uwch y ddôl
Caffi'r Tri Mochyn Bach
Tafarn y Gath Ddu
Y Sliper Wydr
Croeso
Ac ambell goblyn castiog ar wyliau
o'r North Pôl!

Roedd

tywysoges brydferth a gwrachod — ambell un!

Marchogion dewr a dreigiau o bob rhyw liw a llun.

Ar lan y môr yn Rhywle roedd tref fach hudol, dlos
Lle roedd yr haul yn t'wynnu o fore gwyn tan nos.
A phwy oedd yn byw yno yn Llanllon-ger-y-lli?
Wel, os dewch chi'n agosach, fe ddwedaf wrthych chi!

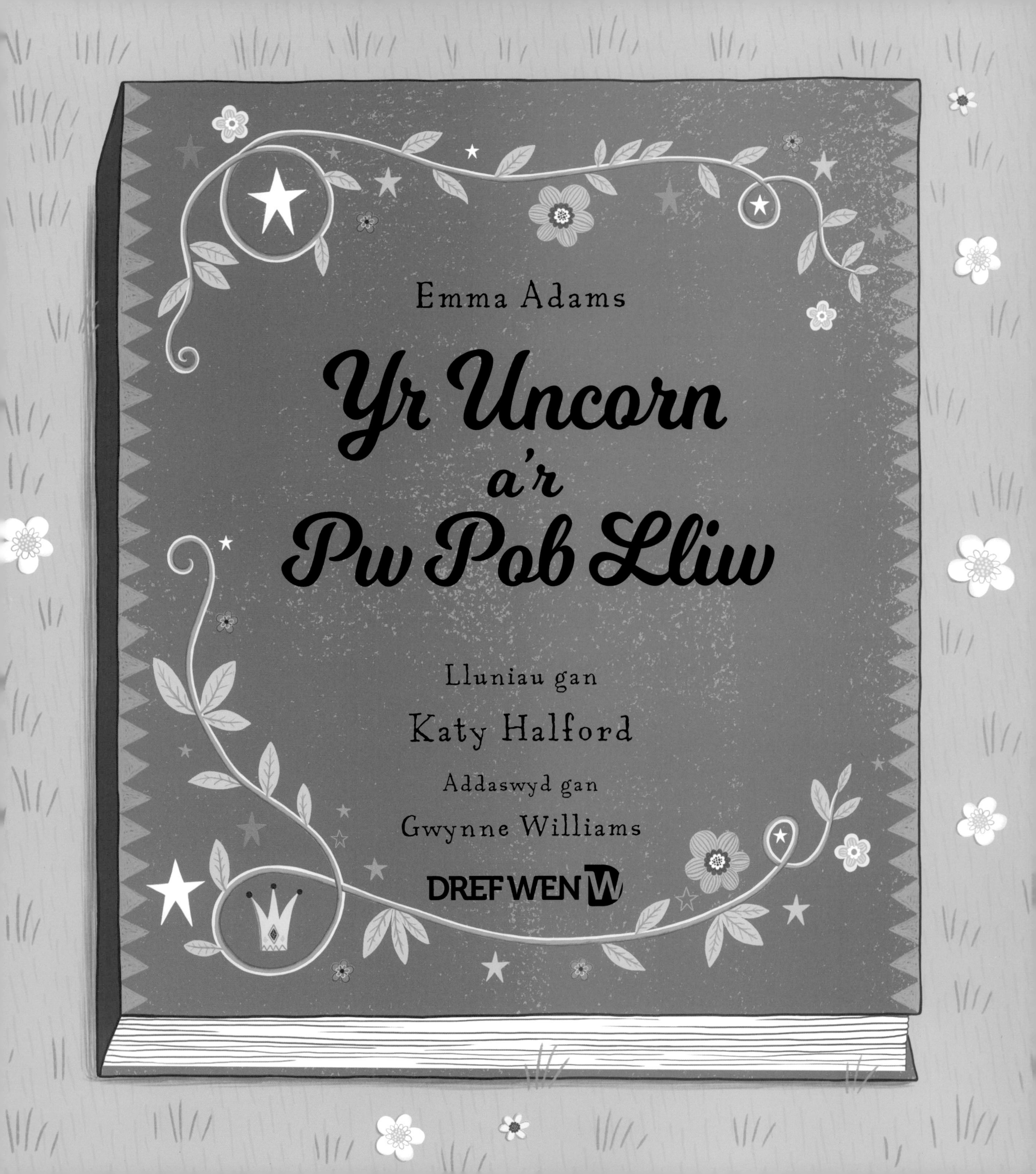
Emma Adams
Yr Uncorn a'r Pw Pob Lliw
Lluniau gan
Katy Halford
Addaswyd gan
Gwynne Williams
DREF WEN